D0708369

Le pion magique

CARDINAL LÉGER
BIBLIOTHÈQUE

959

Le pion magique

Texte
SUZANNE JULIEN

Illustrations
HÉLÈNE DESPUTEAUX

ÉDITIONS HÉRITAGE
MONTRÉAL

R
JUL, *rouge*
Qué

Données de catalogage avant publication (Canada)

Julien, Susanne

 Le pion magique

 (Pour lire avec toi).
 Pour enfants.

 ISBN 2-7625-4494-7

 I. Titre. II. Collection.

PS8569.U44P56 1990   JC843'.54   C90-096299-2
PS9569.U44P56 1990
PZ23.J84Pi 1990

Conception graphique de la couverture : Dufour et Fille
Illustrations couverture et intérieures : Hélène Desputeaux

©Les Éditions Héritage Inc. 1990
Tous droits réservés

Dépôts légaux : 3e trimestre 1990
Bibliothèque nationale du Québec
Bibliothèque nationale du Canada

ISBN : 2-7625-4494-7 (édition cartonnée)
ISBN : 2-7625-7011-5 (édition souple)

Imprimé au Canada

Photocomposition : Deval Studiolitho Inc.

LES ÉDITIONS HÉRITAGE INC.
300, Arran, Saint-Lambert, Québec J4R 1K5
(514) 875-0327

Distribué en Europe par Gamma Jeunesse,
Tournai, Belgique

À Jocelyn,
toi qui aimes tant jouer et bouger,
amuse-toi à sauter d'une case à l'autre.

Qui a dit que lire était un jeu ? Je ne m'en souviens pas, mais je sais que c'est vrai. Je dirais même que c'est un jeu d'enfant, et en voici la preuve. Prends un dé, ouvre ce livre et amuse-toi.

Chaque fois qu'il est écrit de lancer le dé, tu le fais... (oui, oui, TOI, le personnage principal de cette histoire) et tu te rends à la case obtenue d'après le nombre indiqué. Ensuite tu n'as qu'à lire le texte correspondant à la case en question (à moins que tu ne l'aies escaladée, ou que tu y aies grimpé ou ... enfin tu verras !).

Place-toi maintenant sur la case « DÉPART » et lis le début de cette aventure. Je te souhaite un bon voyage et beaucoup de plaisir !

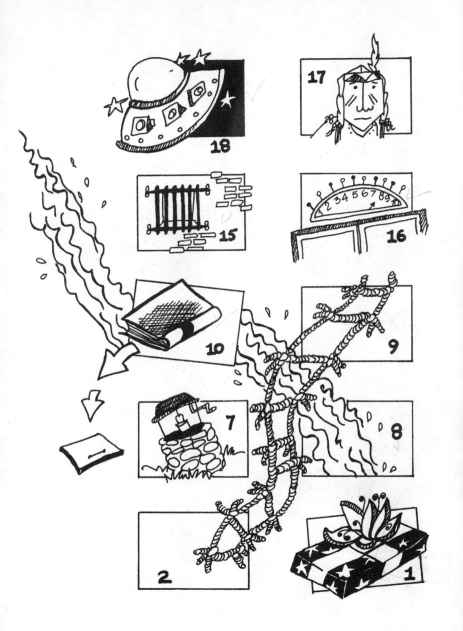

Case 1.
DÉPART

C'est un grand jour. À quatorze heures trente-six minutes quelques secondes et deux ou trois tic-tac, ce sera ton anniversaire. Pour bien fêter l'événement, tes amis sont réunis autour d'un superbe gâteau représentant une fusée intergalactique bleue sur fond jaune.

Ce chef-d'œuvre de sucre à glacer et de colorant alimentaire recouvrant une pâte au chocolat est la création de maman. Des yeux avides le dévorent d'avance. Déjà, des marques de doigts impatients en zèbrent sa surface. Les jeunes voleurs de glaçage se lèchent les babines. Les bougies brillent autour du vaisseau spatial.

— Attention, tout le monde! lance maman en souriant, encore vingt secondes avant le grand moment. Dix-neuf...

— Dix-huit, poursuivent en chœur les enfants, dix-sept, seize....

Dring! La cloche de la porte d'entrée interrompt le compte à rebours. Tu te précipites et ouvres la porte. Le spectacle qui s'offre à toi te fige sur place.

Une jeune femme costumée en magicien, tout de noir vêtue, avec cape, chapeau haut-de-forme et canne, se tient devant toi et te sourit. Son visage est entièrement maquillé de blanc.

Sans dire un mot, elle entre dans la maison et accomplit quelques tours de magie. Des ballons apparaissent sous sa cape, des fleurs sortent de son chapeau, de petites balles rouges semblent naître et courir entre ses doigts. Lorsqu'elle les lance en l'air, les boules éclatent en mille confettis multi-colores.

Les jeunes, ébahis, jettent des ah! et des oh! à chacune de ses prouesses. Maman ne comprend pas très bien d'où vient cette femme, mais si elle amuse ses invités, tant mieux.

Quelques minutes et plusieurs numéros de prestidigitation plus tard, la magicienne place un doigt sur sa bouche pour demander le silence, recule doucement vers la porte et agite brusquement sa cape. Soudain, un nuage de fumée apparaît. Quand il se dissipe, la femme a disparu. À sa place, un cadeau enveloppé d'un papier noir décoré d'étoiles jaunes et blanches repose par terre.

Tu le ramasses et le déballes d'un geste vif pendant que ta mère va regarder dehors. Bizarre, il n'y a plus personne. Sortant le cadeau de son emballage, tu t'exclames :

— Bof! c'est un simple jeu d'échelles et de serpents. Tiens, il y a une carte à l'intérieur. Ca dit :

« Voici pour toi, un jouet ancien de la part d'un vieil oncle que tu n'as pas vu très souvent. Mais toi tu es jeune, j'ai donc décidé de rajeunir ce jeu qui existait déjà du temps de mon enfance. Un peu de poudre de perlimpinpin, un pion magique et une incantation spéciale :

« Petit Pion, petit piston,
pivote, pitonne, pistonne
et emporte-moi
au pays du Tout-Possible. »

Il n'en fallait pas plus pour transformer le parcours du jeu en piste de décollage vers un monde fantastique.

Joyeux anniversaire, mon enfant,

Jean Fantomin
« magie en tout genre »

— Oncle Jean, dit maman, il y a très longtemps que je ne l'ai vu. La dernière fois, c'était à ta naissance. Il voyage beaucoup pour son travail. C'est un magicien et il présente des spectacles un peu partout à travers le monde. C'est gentil à lui d'avoir pensé à toi.

— Ouais, c'est un beau cadeau, réponds-tu sans enthousiasme. Le spectacle de magie, lui, était super. Et le gâteau?

Il est toujours sur la table, les chandelles, entièrement consumées, se sont éteintes dans la cire chaude et le glaçage. Mais qu'à cela ne tienne, tout le monde en mangera un morceau, avec gourmandise. Peut-être même deux?

* * *

En t'assoyant sur ton lit, tu contemples tes cadeaux étalés sur les couvertures : un baladeur et des cassettes, deux livres, une fusée à assembler et des gommes à effacer de toutes les formes et de toutes les couleurs pour ta collection. Mais il est tard et demain il y a de l'école.

— Zut! marmonnes-tu, la journée est déjà finie. Mais moi, je n'ai pas envie de dormir. Tant pis!

Sans te presser, tu ranges tes cadeaux sur ton bureau. En les plaçant, tu fais tomber le jeu offert par l'oncle magicien. La boîte s'ouvre d'elle-même libérant ainsi le dé, le pion et le parcours du jeu.

— Tu parles d'un cadeau, grognes-tu. Un vieux jeu d'échelles et de serpents, et il n'a qu'un seul pion. Je ne peux quand même pas jouer sans adversaire. Quel drôle de pion !

Drôle de pion, en effet. On dirait plutôt une petite loupe qui aurait perdu son manche. Tu examines tes doigts agrandis par le petit morceau de verre. Tu scrutes les lignes de ta main, puis tes orteils et enfin les dessins sur le carton de jeu.

Les barreaux de la prison de la case 15 ont presque l'air vrai. Tiens, il y a une main qui s'agite derrière eux.

— UNE MAIN QUI BOUGE ! t'écries-tu, c'est impossible. Un dessin, ça ne bouge pas.

Tu regardes de nouveau, la main a disparu.

— J'ai des visions : ce doit être la fatigue. N'empêche que les dessins sont étranges. Les serpents et les échelles ont été remplacés par un ascenseur, une glissade d'eau, un pont, une échelle de corde... Dans les autres cases, il y a un puits, un château, une tête de mort. C'est peut-être amusant d'y jouer ? De toute façon, je dois sûrement gagner, puisque je n'ai pas d'adversaires. J'ai bien le temps de faire une petite partie avant de me coucher.

Tu lances le dé, le ramasses aussitôt et tu avances le pion sur la case désignée. Tu te penches pour bien voir le dessin à travers la petite loupe et tu bascules tout à coup dans l'espace et le temps...

LANCE LE DÉ

Si tu as 1, va à la case 2. p. 21
Si tu as 2, va à la case 3. p. 25
Si tu as 3, va à la case 4. p. 29
Si tu as 4, va à la case 5. p. 35
Si tu as 5, va à la case 6. p. 43
Si tu as 6, va à la case 7. p. 47

Case 2.
L'ÉCHELLE DE CORDE

Tu te sens tomber dans le vide quand, soudain, ton pied s'accroche à quelque chose et bloque ta chute. La tête en bas, tu prends une grande respiration pour te donner le courage de jeter un coup d'œil autour de toi. Ce que tu vois te fait tellement peur que tu fermes très vite les yeux.

— C'est impossible, gémis-tu.

Tu les ouvres lentement. C'est vrai. La tête en bas, tu as le pied retenu à une échelle de corde appuyée au mur d'une grande tour de pierre bâtie sur une falaise. Au-dessous de toi, une petite rivière coule. Mais, que fais-tu là, semblable à un saucisson à la boucherie, tenant encore dans tes mains, ton pion et ton dé?

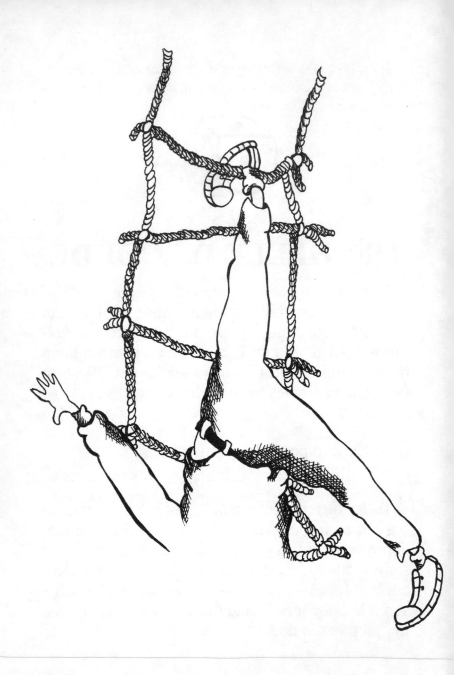

Tu glisses ces deux objets dans les poches de ton jean, et tu réunis tes forces pour te hisser dans une position plus confortable.

— Ouf! Je respire mieux.

Tu regardes la rivière et aperçois des objets qui flottent à la surface. On dirait de grands troncs d'arbre. C'est bizarre, ils ne suivent pas le courant. En surveillant plus attentivement, il te semble même qu'ils vont en sens inverse ou en zigzag. Certains d'entre eux ouvrent … toute grande … leur … gueule.

— Mais ce sont des crocodiles. Ah! MAMAN! hurles-tu.

Ça ne sert à rien de crier, il n'y a personne pour te venir en aide. Vite, il te faut monter au haut de l'échelle, c'est ton unique chance de salut. Tu grimpes de ton mieux, mais ce n'est pas facile. Ça branle et le vent qui se met de la partie pour te secouer.

— Enfin, tes mains touchent le rebord de la fenêtre où la corde est fixée. Avec soulagement, tu te hisses à l'intérieur.

Tu te retrouves à la case 9. p. 59

Case 3.
LE PONT COUVERT

Sans trop comprendre ce qui t'arrive, tu te retrouves par terre sur un petit sentier au cœur d'une forêt. Il fait noir, tu as froid et tu ne vois presque rien dans la pénombre. Mais, qu'est-ce que tu fais là? Pour trouver une réponse à cette question, tu te lèves et marches à tâtons.

Les bras tendus devant toi, tu essaies de te diriger… En réalité, tu ne sais pas très bien où tu veux aller. Il faut bien admettre l'évidence, te voilà dans une forêt que tu ne connais pas. Machinalement, tu glisses dans ta poche ton pion et ton dé. À quoi pourraient-ils bien t'être utiles?

— Ouh! Ouh! hulule quelque chose derrière toi.

Tu sursautes et cherches des yeux ce qui a pu faire ce bruit. Pas facile de distinguer quelque

chose ; si au moins les nuages voulaient bien arrêter de cacher la lune. Bah ! C'est sûrement un hibou grognon ou une vieille chouette qui n'aime pas se faire déranger.

Tu pivotes dans tous les sens et découvres tout à coup une faible lueur qui attire ton attention.

— Il y a certainement quelqu'un pour m'aider là-bas.

Tu suis le petit chemin de terre en prenant garde aux branches des arbres qui tentent de te caresser au passage. On dirait vraiment qu'ils sont vivants. Brrr ! Tu hâtes le pas, car ce n'est pas très rassurant. Près de toi, tu entends un doux bruissement. Est-ce le murmure des feuilles agitées par le vent ? Non, ce n'est pas tout à fait cela. Il te semble plutôt que ce soit de l'eau, oui, de l'eau qui coule. Il doit y avoir un ruisseau ou une rivière à quelques pas d'ici.

Tu ne te trompes pas, en te rapprochant de ton but, tu vois mieux ce dont il s'agit. Un pont comme tu n'en as jamais vu enjambe la rivière. Il est surmonté de deux murs et d'un toit.

Tu aperçois la lumière grâce aux petites ouvertures dans les murs. Tu cours jusque-là et pénètres à l'intérieur.

— Zut ! Il n'y a personne, t'exclames-tu.

En effet, c'est vide. Il n'y a rien. Rien sauf une vieille lampe à huile dont la flamme vacille aux moindres courants d'air.

— Ouais ! Je n'en sais pas plus long que tout à l'heure. Et si je traversais le pont ? Peut-être que de l'autre côté, je trouverai quelqu'un.

Aussitôt dit, aussitôt fait.

Rends-toi à la case 5. p. 35

Case 4.
LES PIRATES

Tu atterris tête première dans une espèce de gros panier de bois. Tu as le nez écrasé dans le fond, le cou tordu et les pieds en l'air. Tu déposes ton dé et ton pion, tu glisses tes jambes à l'intérieur, pivotes ton corps d'un côté, gigotes un peu et ouf! te voilà dans une position plus confortable. Tu prends une grande respiration.

— Qu'est-ce que c'est que ce trou perdu?

Tu lèves les yeux et tu vois le ciel bleu, sans nuages, et un grand drap pendu à un gros bout de bois.

— Pourquoi maman fait-elle sécher son linge à cet endroit?

Tu te lèves pour mieux voir et tu te rassois aussitôt. C'est haut, très, très haut. Le drap n'en est pas un, c'est une voile!

— J'ai le vertige.

En bas, sous toi, une voix forte crie des ordres.

— Amenez les voiles, jetez à l'eau les filets de pêche, lavez le pont et que ça saute !

Prudemment, tu regardes de nouveau par-dessus le panier ou plutôt le tonneau où tu te trouves. Tu

es bel et bien sur un bateau. Des matelots s'affairent maintenant à abaisser les voiles qui encombrent les trois mâts. Ton tonneau est accroché au sommet du plus haut d'entre eux. Ce doit être un poste d'observation, car d'ici ta vision s'étend jusqu'à l'horizon.

— Hé! toi, là-haut! Au travail comme les autres! Les fainéants, je les lance par-dessus bord.

Mais c'est à toi que ce gros barbu parle! Comment ose-t-il te donner des ordres? Tu vas lui dire ta façon de penser. D'abord, il te faut descendre. Suspendu à ton observatoire, un câble garni de nœuds semble le seul chemin vers le bas.

— Allez, Tarzan, te dis-tu, un peu de courage et saute sur ta liane, Jane t'attend au sous-sol.

Tu glisses adroitement le long du câble, grâce à toutes tes années de pratique au terrain de jeu de ton quartier. Avant même que tu n'ouvres la bouche pour parler, l'homme à la barbe t'apostrophe.

— Alors, on a bien dormi? On se sent en forme? Maintenant, frotte le plancher.

Il te balance une brosse et un seau vide, et se retourne sans plus s'occuper de toi. Tu regardes les deux objets, puis tu les déposes par terre et dis simplement :

— Non.

L'homme pivote sur lui-même. Ses yeux sont terribles. Sa moustache noire frémit de colère. Tous les matelots ont cessé de bouger et de respirer. Ils ne veulent rien manquer du spectacle qui débute, mais ne désirent pas se faire remarquer de leur patron.

— On fait la forte tête, on refuse d'obéir, on espère peut-être prendre ma place? jappe-t-il.

— Non. De toute façon, ce travail ne semble pas très intéressant.

— Morbleu! je vais te couper la langue et la mettre sur mon hameçon pour attraper un requin.

— Non, vous ne le pouvez pas. C'est interdit par la loi.

Il éclate de rire, regarde ses hommes qui sont toujours aussi immobiles et muets que des statues. Il claque des doigts et tous éclatent d'un rire forcé. Puis d'un geste vif de la main, il ordonne le silence. Chacun reprend sa position et tu ne les entends même pas respirer.

— La loi? rugit-il. Mais ici, la loi c'est moi! Je suis le seul maître à bord, et je fais ce que je veux, et tout le monde fait ce que je veux.

— Pas moi, réponds-tu. Je n'aime pas laver les planchers. Qui donc croyez-vous être pour me donner des ordres?

— Je suis le pirate Barbenoire. Tu ne veux pas m'obéir, tant pis pour toi.

D'un claquement de doigts, il appelle deux hommes et leur commande d'installer la planche de la mort, celle qui mène au grand saut, le dernier. Vite, ils installent un petit tremplin en équilibre sur le plat-bord du navire. Le flibustier dégaine un grand sabre glissé à sa ceinture et le pointe sur toi.

Mais il a vraiment l'intention de te tuer, il est fou ! Tu tentes de le calmer :

— Écoutez, il ne faut pas s'énerver pour un plancher sale. Même ma mère ne se fâche pas autant que vous quand je ne range pas ma chambre. Prenez une grande respiration et souriez, vous vous sentirez mieux.

Pour toute réponse, il lève son arme au-dessus de ta tête dans l'intention évidente de la fendre en deux. N'écoutant que ta peur, tu tournes les talons et tu agrippes le câble menant au tonneau.

De nœud en nœud, tu te hisses rapidement vers le haut. Le vilain pirate secoue la corde pour te faire lâcher prise. Tu serres les dents et tu tiens bon. Encore quelques centimètres. Ta main se pose sur le bord du tonneau et tu te jettes à l'intérieur.

Ouf ! tu es hors de danger ! Enfin pas vraiment, quelques matelots suivent le même chemin que toi. Tu cherches un objet à leur lancer, mais il n'y a rien, rien sauf le dé et le pion. Tu les pousses du bout du pied avant de les ramasser. Au même instant, tout ce qui t'environne disparaît.

LANCE LE DÉ

Si tu as 1, va à la case 5.   p. 35
Si tu as 2, va à la case 6.   p. 43
Si tu as 3, va à la case 7.   p. 47
Si tu as 4, recommence,
   ce n'est pas un bon numéro.
Si tu as 5, va à la case 9.   p. 59
Si tu as 6, va à la case 10.   p. 67

Case 5.
AU BOUT DU PONT

Tu te retrouves debout, dans la solitude de la nuit. Devant toi, tu distingues un sentier encombré de grosses pierres ; derrière, un pont faiblement éclairé par une petite lampe à huile. Tu hésites un peu. Où dois-tu aller, sur le chemin ou sur le pont ?

Un bruit étonnant vient trancher la question. C'est une flûte, une flûte au son aigu. Peut-être s'agit-il d'un piccolo ? Aucune importance, tout ce qui compte, c'est que le musicien fausse terriblement. Oh ! la la ! tes oreilles.

Vite, il te faut découvrir cet horrible casseur de tympans pour mettre un terme à ce concert de cigales mal ajustées. Ce sera facile, il n'y a qu'à suivre le guide : c'est-à-dire tes oreilles.

— Quel son épouvantable ! gémis-tu.

Tu enjambes les roches de ton mieux, mais ce n'est pas simple. Il fait si noir.

— Allez, les nuages, faites un petit effort et tassez-vous pour laisser passer la lune. J'ai besoin d'elle pour mieux voir. Pfft! Pfft!

Tu souffles sur eux ; on ne sait jamais, ça pourrait fonctionner. Mais oui... on dirait bien que les nuages se déplacent. Tu souffles plus fort et ils vont plus rapidement.

— Youppi! Enfin, j'ai retrouvé la vue.

La musique s'amplifie au même moment et atteint un sommet dans la cacophonie.

— Si ça continue ainsi, je vais perdre le sens de l'ouïe! Aïe!

Tu cours entre les obstacles et suis les nombreux détours du chemin. Tu passes entre deux gros pins et aperçois le responsable de cet affreux tapage. Il est assis par terre et tu ne vois que son dos.

— Youhou! hurles-tu. Ca suffit. Serre ta flûte dans un tiroir et achète-toi un yo-yo, ce sera moins pénible pour tes voisins.

Mais il n'entend pas et joue de plus belle. Tu te places alors devant lui et fais de grands signes pour qu'il te remarque. Il cesse sa musique et s'exclame en te souriant :

— Quel bonheur ! Voilà enfin quelqu'un qui admire avec enthousiasme mes dons de virtuose et qui désire assister à une représentation privée. Installe-toi confortablement sur ce siège de marbre et je vais t'interpréter ma plus belle chanson, ajoute-t-il en te désignant une vulgaire pierre.

— Non, non, dis-tu très vite. Une catastrophe par soir, c'est bien suffisant.

— Oh ! douleur, tremblement de terre, cyclone, avalanche et beurre d'arachide ! lance-t-il sur un ton théâtral. Mes subtils et délicats talents naturels ne sont pas appréciés.

Il pose lentement le bras sur son front et imite un sanglot. Mais ses paroles piquent ta curiosité.

— Pourquoi mets-tu le beurre d'arachide avec les autres désastres ? lui demandes-tu.

Il reprend aussitôt un air serein et t'explique :

— Parce que c'est tellement collant. Chaque fois que j'en mange, mes dents restent fixées ensemble. Impossible d'ouvrir la bouche. Pour gémir, ça ne me cause pas trop de problèmes, mais pour lancer des hurlements, c'est une autre histoire.

Il te semble un peu bizarre. Il est tout de blanc vêtu et la lumière de la lune réfléchit sur lui. Non, on dirait plutôt qu'elle le traverse.

— Pourquoi tiens-tu tant à hurler ?

Il t'examine, branle la tête de gauche à droite et fait la moue.

— Allez, dis-le-moi, insistes-tu.

— Non, tu ne voudras pas que l'on devienne des amis, bougonne-t-il.

Ta curiosité est de plus en plus éveillée. Il faut que tu saches. Tu lui fais des compliments pour le mettre en confiance, tu l'encourages avec de belles paroles. Tu vas même jusqu'à lui promettre de lui remettre en échange de son secret ton pion et ton dé. Vivement intéressé, il accepte le marché.

— Tiens-toi bien, ça va te donner un choc. Je suis un FANTÔÔÔÔME, répond-il d'une voix tremblotante.

Reprenant un ton plus normal, il tend la main et poursuit rapidement :

— Maintenant, je veux mon dé et mon pion.

— Tu me prends pour quoi ? Une valise que l'on peut bourrer d'inventions farfelues. Regarde, je n'ai pas de poignée dans mon dos. Trouve une meilleure histoire ou quelqu'un de plus naïf que moi.

Tu lui tournes le dos et reprends la direction du pont.

— Mais c'est vrai, je te le jure, fait-il derrière toi.

— Cesse de me suivre, je ne change pas d'idée, dis-tu sans te retourner.

— Je vais te le prouver. Attends.

Tu t'arrêtes et tu fais demi-tour.

— Vraiment ! Tu vas me le ….Aaaaaaah ! cries-tu à pleins poumons.

Là, devant toi, à un mètre du sol, il flotte dans les airs.

— C'est papapa, c'est papapa, bégaies-tu. C'est pas possible.

— Mais si, c'est vrai. Oh! calamité, pollution et bonbon au miel, personne ne veut jamais me croire. Ah! que je suis malheureux.

— Mal... malheureux? Pourquoi? demandes-tu d'une voix hésitante.

— Parce qu'il faut toujours que je prouve ce que je dis, et ensuite, les gens ont peur de moi et se sauvent. Vas-tu t'enfuir, toi aussi?

Tu l'observes, ne sachant trop quoi faire. Il a réellement l'air triste. Sur ses joues, coulent deux grosses larmes brillantes. Il ne doit pas être très dangereux, sauf pour les oreilles.

— Je veux bien rester quelque temps avec toi, acceptes-tu enfin, mais à une condition. Promets-moi de ne plus jouer de la flûte.

— Aucun problème, je vais m'amuser avec le dé et le pion. Vite, vite, donne-les-moi.

Il semble très impatient de les obtenir. Pourquoi désire-t-il tant ces deux petits objets? C'est plutôt louche. Attention! Lentement, tu les sors de ta poche. Il murmure quelques mots que tu entends à peine:

— Enfin … réussi … je pourrai … quitter …
drôle … oui … bravo … libérer d'ici …

Avec une maladresse volontaire et contrôlée, tu
échappes le dé. Avant qu'il ne touche le sol, ton
fantôme hurle :

— Non, tu vas tout faire rater. C'est toi qui vas
partir. Non !

Tu saisis le dé avant lui et disparais subitement.

LANCE LE DÉ

Si tu as 1, va à la case   6.   p. 43
Si tu as 2, va à la case   7.   p. 47
Si tu as 3, recommence,
    ce n'est pas un bon numéro.
Si tu as 4, va à la case   9.   p. 59
Si tu as 5, va à la case 10.   p. 67
Si tu as 6, va à la case 11.   p. 71

Case 6.
L'ASCENSEUR

Des murs gris et sales se rapprochent de toi. La pièce où tu te tiens devient toute petite. Les cloisons s'arrêtent à quelques pas de toi. Tu ne vois aucune fenêtre, seulement une grande porte métallique.

—Un ascenseur! Je suis dans la cabine d'un ascenseur, t'écries-tu. Est-ce à cause du dé ou du pion que je suis ici?

Pour l'instant, l'important est de savoir comment sortir de cet endroit.

—En ouvrant la porte, bien sûr, penses-tu à haute voix.

Tu t'approches du tableau de commande situé près de la porte. Trois rangées de boutons illuminées y sont disposés, mais sans aucune indication sur la façon de s'en servir. Il te faut deviner sur lequel tu dois appuyer.

Tu en essaies un. Rien. Un autre, encore rien. Tu pèses sur tous les boutons, mais en vain. Tu te rues sur la porte et tentes de l'ouvrir avec tes mains. Tu tires de toutes tes forces d'un côté, puis de l'autre. C'est beaucoup trop solide pour toi.

— Sale porte, sale machine! cries-tu en la frappant du pied. Je ne veux pas rester ici. Je veux sortir. Youhou! À l'aide, au secours, délivrez-moi de ce stupide ascenseur!

Seul l'écho de ta voix te répond. Ne sachant plus quoi faire, tu t'assois dans le fond de la cabine. Au même instant, la porte s'ouvre et plus d'une dizaine de personnes font irruption dans l'ascenseur. Tu te relèves d'un bond et tentes de te frayer un chemin entre eux vers la sortie. Ils te bousculent, te poussent sans s'occuper de toi. Quand tu parviens à te faufiler, il est trop tard, la porte est refermée. Tu ressens une petite secousse et la cabine s'élève.

— Ne partez pas tout de suite, leur lances-tu, je descends ici.

Personne ne semble t'entendre. Tu montes, montes très haut avant d'atteindre le terminus. La porte s'ouvre alors brusquement et tout le monde sort, t'entraînant hors de l'ascenseur. Le calme revenu, tu réalises que …

Passe tout de suite à la case 16. p. 101

Case 7.
LE PUITS

Plouf! Tu tombes dans dix centimètres d'eau plus ou moins propre. Un grand mur rond, tout en grosses pierres, t'encercle complètement. La seule sortie possible est vers le haut. En examinant plus attentivement cette issue, tu aperçois une poutre de bois où est accrochée une poulie. À cette poulie, un seau est suspendu par une corde.

— Ça alors! On dirait que je suis au fond d'un puits. Comment..?

Tu regardes le pion et le dé dans tes mains et commences à comprendre ce qui t'arrive. Un jeu magique! ... Tu les ranges précieusement dans ta poche. Puis tu cherches à escalader le mur. Tu t'agrippes aux pierres, mais l'endroit est tellement humide que les parois sont tapissées de mousse, et tes pieds glissent à chaque tentative.

Tu essaies à nouveau, mais tu n'as pas fait un mètre que tu retombes lourdement.

— Ha! ha! ha! Malhabile, malhabile, fait une petite voix derrière toi.

Tu te retournes vivement, mais ne vois personne.

— J'ai dû imaginer cette voix, murmures-tu pour te rassurer.

Mais tu l'entends de nouveau :

— Aveugle, aveugle, tu ne me vois pas.

— Qui... qui est là?

— Moi.

— Qui, moi?

— Regarde plus bas si tu veux me trouver.

Tu obéis, mais au-dessous il n'y a que de l'eau, quelques pierres et ... une grenouille. Ce n'est tout de même pas elle qui...

— Enfin tu daignes faire attention à moi, coasse-t-elle. Il était temps.

— Tu ... tu parles? t'exclames-tu.

— Bien sûr, tu me prends pour quoi, une grenouille?

— Oui, je veux dire … Tu en as l'air.

— Erreur, jeune personne, je n'en suis pas une. Je suis un prince transformé en grenouille par une vilaine sorcière. Je n'ai que l'apparence de cette bestiole visqueuse.

— Intéressant, vraiment intéressant, marmonnes-tu. Je perds la tête, c'est certain. Me voilà en train de discuter avec une grenouille parlante quand je devrais plutôt chercher à sortir d'ici.

— Je ne tiendrai pas compte des paroles blessantes à mon sujet parce que je suis d'accord avec toi. Il nous faut sortir d'ici.

Sortir, sortir, facile à dire ; mais comment le réaliser ? Tu n'arrives pas à atteindre le haut du mur. Si tu pouvais grimper sur quelque chose ou quelqu'un, tu y parviendrais peut-être.

— Je suis de plus en plus d'accord avec toi, poursuit la petite bête. Si tu pouvais monter sur mes épaules, nous serions sauvés.

Tu la regardes avec étonnement, on dirait qu'elle lit dans tes pensées. Mais cela ne t'avance pas tellement, car elle est si petite qu'elle serait écrasée sous ton poids.

— Oh ! non, ne crains rien, ajoute-t-elle. Tu ne m'écraseras pas, si tu m'aides à redevenir un prince. De plus, c'est moi qui monterai sur tes épaules.

— Je ne vois pas comment je pourrais te rendre ta forme normale, répliques-tu.

— C'est pourtant très simple, tu n'as qu'à m'embrasser.

— Quoi ! T'embrasser ! Pouah ! C'est dégoûtant, t'écries-tu.

Ta petite compagne te tourne le dos et prend un air indigné. Tu l'as vexée. Elle boude.

— Je te demande pardon, je ne voulais pas te blesser. C'est que je n'ai pas l'habitude d'embrasser les grenouilles.

— Et moi, tu crois que j'ai l'habitude de laisser n'importe qui poser ses lèvres sur ma bouche. Ce n'est pas du tout hygiénique. Tu n'imagines pas le nombre incalculable de microbes en tout genre que l'on échange dans un tel geste. Et là encore, je ne te parle pas de ces becs tout barbouillés de chocolat, de lait ou d'autres choses. Et la mauvaise haleine, tu y as pensé? C'est …

— C'est assez! Suffit! J'ai tout compris.

— Je n'y peux rien, dit-elle encore. C'est la seule façon de vaincre le mauvais sort de cette sorcière.

— Elles manquent vraiment d'imagination, les sorcières. D'accord, j'accepte. Tout, plutôt que de rester dans ce trou humide.

La grenouille, fort heureuse, t'offre sa … bouche. Tu prends une grande respiration, tu l'embrasses très, très vite. Un nuage blanc scintillant de petites lumières vous enveloppent tous les deux. Quand il se dissipe, tu aperçois le prince qui a toujours l'apparence d'une grenouille.

— Ça n'a pas fonctionné! cries-tu. Il n'y a rien de changé.

— Erreur, dit-elle. Il y a quelque chose de transformé … toi.

— Moi?

Tu regardes tes mains, elles sont toutes petites, vertes et palmées. Ta peau est devenue toute luisante. Mais, mais, tu es une grenouille ! C'est horrible ! Quant au prince, il se tord de rire.

— Espèce d'affreux lances-tu, tu savais ce qui allait arriver. Tu l'as fait exprès.

— Non, je l'ignorais. Avoue que c'est amusant. Cette sorcière avait un sens de l'humour crevant.

— Cesse de te moquer de moi, sale crapaud galeux.

Le prince arrête aussitôt de rire, car tu l'as insulté.

— Toi, tu n'es qu'un énorme ouaouaron plein de graisse.

— Espèce de rainette à clochettes.

— Lézard sans queue.

— Serpent venimeux.

Une voix tombée du ciel interrompt votre dispute.

— Qui est là ? J'entends parler.

— Au secours, au secours, lui réponds-tu. Je suis au fond du puits. S'il vous plaît, descendez le seau pour m'aider à remonter.

Tu entends la poulie grincer et aperçois le seau se rapprocher lentement. Dès qu'il est à ta portée, tu sautes dedans. Le prince en fait autant. Tu cries que vous êtes prêts pour la remontée. Plus vous approchez du sommet du puits, plus tu sens la chaleur du soleil qui te caresse la peau. De drôles de picotements te chatouillent les bras et les jambes.

Enfin te voilà à l'air libre ; vite, tu bondis sur la terre ferme. Pouf! Le petit nuage blanc réapparaît. Tu es de nouveau toi-même ; le prince aussi, grâce aux doux rayons du soleil.

Tu t'examines, c'est bien toi, tu n'as rien perdu, mais tes vêtements sont de travers. Ton chandail est à l'envers. Tes souliers sont dans le mauvais pied. Les poches de ton jean sont retournées. Tu t'ajustes et vois ton dé qui a glissé à tes pieds. En le ramassant, un vent d'air chaud te propulse vers...

LANCE LE DÉ

Si tu as 1, recommence,
    ce n'est pas un bon numéro.
Si tu as 2, va à la case 9.   p. 59
Si tu as 3, va à la case 10.   p. 67
Si tu as 4, va à la case 11.   p. 71
Si tu as 5, va à la case 12.   p. 75
Si tu as 6, va à la case 13.   p. 81

Case 8.
AU PIED
DE LA GLISSADE

Dans un jaillissement d'eau qui éclabousse tout sur son passage, ta descente s'achève brusquement dans un corridor étroit. Péniblement, tu refais surface. Tu rampes vers la terre ferme. Quelle chute! C'est incroyable, mais tu es encore en vie.

Jamais auparavant, tu n'avais vécu un événement aussi épuisant. Tu respires enfin. Tes idées se replacent dans ta tête. Tu n'en retiens qu'une seule : partir d'ici. D'une main fébrile, tu cherches ton dé et ton pion.

— Zut! Je ne les trouve plus. Peut-être dans l'autre poche, non!

Sans eux, tu ne peux quitter cet endroit. Tu vides toutes tes poches, ils ne sont pas là. Tu as dû les

échapper quelque part. Sur le gazon autour de toi?
Non. À moins que ce ne soit dans la glissade
d'eau?

Tu y cours et les aperçois au fond du bassin étroit
qui termine la chute. Ouf! ils ne sont pas perdus.
Tu pénètres dans l'eau, mais avant de les avoir
ramassés, un remous se forme. Splash! Tu piques
du nez dans l'eau. Le courant change de direction
et t'emporte vers le haut. Tu remontes la glissade
d'eau!

Tu as beau crier que c'est un sens unique, qu'il
est interdit de remonter, rien à faire, l'eau te trans-
porte à l'envers jusqu'à la plate-forme.

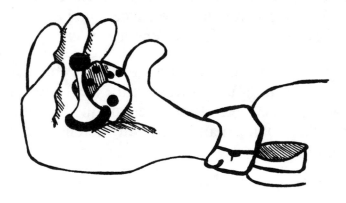

De retour au sommet de la glissade, tu cherches près de toi le pion et le dé et les ramasses avant qu'un nouveau désastre ne t'arrive. Le décor s'évanouit autour de toi.

Tu n'as plus besoin de lancer le dé, saute à la case 20. p. 123

Case 9.

LE HAUT DE
L'ÉCHELLE DE CORDE

Tu te retrouves à plat ventre dans l'endroit le plus magnifique que tu aies jamais vu. Les murs et le plancher sont faits de marbre rose, des voiles aux douces nuances vertes pendent du plafond et des tapis richement décorés reposent sur le sol.

— Ce que c'est beau! murmures-tu.

Comme un écho à tes paroles, un reniflement se fait entendre. Tu cherches d'où cela peut provenir et tu découvres, derrière une lourde tapisserie, une jeune fille de ton âge. Elle est accroupie dans un coin et sanglote, la tête enfouie entre ses bras.

— Pourquoi pleures-tu? lui demandes-tu gentiment.

— Tu ne sais donc pas? te dit-elle, étonnée de ton ignorance. Tu ne sais pas qui je suis et ce qui m'arrive?

— Non, je n'en sais rien. Je viens d'arriver ici, je ne sais même pas comment…

— Tu ne connais pas grand-chose, vraiment, te lance-t-elle en souriant enfin. Je suis Schéhérazade, la fille du prince Ahmed, celui qui a mis le sultan en colère.

— Comment a-t-il fait? Il s'est révolté contre lui?

— Non.

— Il a refusé de payer ses impôts?

— Non.

— Il a été impoli envers lui?

— Pas vraiment.

— Explique-toi. Je ne comprends pas.

— Ce n'est pas nouveau, se moque-t-elle. Tu me sembles ne comprendre rien à rien, c'est une habitude chez toi.

— Et toi, tu sembles bien habile pour te moquer des autres, répliques-tu d'un ton vexé.

— C'est justement là le problème. C'est une marque de notre famille : se moquer des autres, et conter des histoires.

— Ça veut dire que ton père a ri du sultan.

— Oh! ce n'était pas méchant. C'était même plutôt drôle.

— Raconte.

— Le sultan, accompagné de mon père et d'autres hommes, se promenait dans ses jardins quand un bel oiseau blanc est passé au-dessus de sa tête. Mais l'oiseau s'est libéré au même instant d'un pressant besoin naturel...

Schéhérazade pouffe de rire et continue entre deux éclats :

— Qui... ha! ha! ha! qui est tombé directement...

Elle se frappe la tête. Tu t'exclames :

— Sur la tête du ...

— Sur son beau turban jaune, tout neuf. Père essayait de toutes ses forces de ne pas rire et le sultan s'en est aperçu. Il lui a alors ordonné de changer de chapeau avec lui. Mon père a donc mis sur sa tête le turban souillé. Mais... Ha! ha! ha!

Elle rit de bon cœur, incapable de se retenir.

— L'oiseau est repassé dans le ciel et a recommencé...

— Sur la tête du sultan?

— Oui, une deuxième fois.

Elle se tord de rire.

— Comme c'est drôle, dis-tu, en t'esclaffant à ton tour.

— C'est ce que mon père pensait, mais pas le sultan. Pour le consoler, père lui a dit que c'était un excellent présage. Cela signifie que la personne qui reçoit ce … ce cadeau du ciel, deviendra riche.

— Qu'est-ce que le sultan a dit ?

— Il s'est mis en colère. Il a cru que père voulait insinuer que le sultan était pauvre. Et maintenant... maintenant...

Elle se remet à pleurer et à se plaindre comme au début.

— Il veut couper le cou à mon père et faire je ne sais trop quoi de moi. Il n'a pas encore décidé.

— Mais c'est horrible ! Il n'a vraiment pas le sens de l'humour, ton sultan.

— Oh ! si il l'a. Quand il s'agit de rire des autres.

Tu n'as pas le temps de lui répondre car tu entends un bruit de pas qui s'approchent. C'est le sultan qui arrive.

Toute tremblante, ta nouvelle amie fait la révérence. Tu l'imites de ton mieux pour ne pas irriter le souverain. Il te regarde, surpris, et demande brusquement en te pointant du doigt :

— Qu'est-ce que c'est que ça ?

— Ça, bafouille Schéhérazade, ça c'est... c'est....

— Je suis en visite, dis-tu vivement. Je viens de très loin, ô Votre Grandissime... euh ... Grandeur.

Il t'examine de la tête aux pieds avant de te questionner de nouveau :

— Pourquoi es-tu ici ?

— Mais pour vous saluer, cher Grandiose.

— C'est déjà fait, maintenant tu peux partir.

— Bien sûr, ô immense Grand-Chose.

Tu exécutes une deuxième révérence et te dirige vers la porte en te demandant si c'est bien par là la sortie. Juste au moment où tu t'éloignes, le sultan te rappelle.

— Enfant, explique-moi comment il se fait que tout à l'heure j'ai entendu rire dans cette pièce et que lorsque j'y suis entré, vous étiez tout tristes, Schéhérazade et toi ?

— C'est bien simple, ô Votre importante Grossesse. Schéhérazade raconte si bien des histoires que l'on ne peut pas faire autrement que de rire ou pleurer.

— Est-ce vrai, jeune fille ? Tu sais raconter les histoires ?

Schéhérazade hoche la tête.

— Voilà qui est fort intéressant, ajoute-t-il. J'adore les contes. Je vais te mettre à l'essai. Je t'écoute.

Schéhérazade voudrait bien exécuter cet ordre, mais elle est si malheureuse. Elle pense à son père et ne fait que sangloter. Voyant que le sultan va se mettre en colère, tu interviens.

— Ô colossale Grosseur, ne croyez-vous pas que tout talent mérite sa récompense ?

— Oui, bien sûr, mais il faut d'abord voir ce talent à l'œuvre.

— Évidemment et il est certain que mon amie se fera un plaisir et une joie de vous démontrer ses capacités. Mais ce serait plus facile pour elle si elle connaissait d'avance le prix à gagner.

— Hum ! oui, ce n'est pas une si mauvaise idée. Que désires-tu, jeune fille ? Des bijoux, de beaux vêtements ou de l'or ?

— Rien de tout cela, Votre Altesse, lui dit-elle.

— Tu es bien difficile. Que veux-tu donc ?

— Seulement la libération de mon père.

Le sultan réfléchit un peu, puis accepte.

— D'accord, mais il faut que tes histoires en vaillent la peine, sinon ... COUIC... Je tordrai le cou à ton père comme s'il n'était qu'un vulgaire poulet.

Malgré cette menace, la jeune fille saute et pleure de joie. Vraiment, tu trouves qu'elle pleure beaucoup trop. Tu cherches dans tes poches un mouchoir pour sécher ses larmes. Par mégarde, tu fais tomber ton pion et ton dé. Tu les ramasses, mais le sort en est jeté, ils te projettent dans une autre case.

LANCE LE DÉ

Si tu as 1, va à la case 10.   p. 67
Si tu as 2, va à la case 11.   p. 71
Si tu as 3, va à la case 12.   p. 75
Si tu as 4, va à la case 13.   p. 81
Si tu as 5, va à la case 14.   p. 89
Si tu as 6, va à la case 15.   p. 93

Case 10.
LE FOND DE LA TRAPPE

Tu dégringoles à travers un large tuyau qui débouche brusquement sur une vaste salle et tu atterris au milieu d'un plancher gélatineux. Heureusement, car autrement, tu aurais pu te blesser en tombant. Ton dé et ton pion bien serrés dans le creux de ta main, tu tentes maladroitement de te relever.

— Zut! J'ai l'impression d'être une cerise sur un bol de Jell-O.

Malgré tous tes efforts, tu ne parviens pas à marcher, c'est trop mou. La seule façon pour toi d'avancer, c'est en rampant ou en roulant sur le sol. À force de culbutes, tu réussis à faire le tour de la pièce, mais ça ne t'avance pas à grand-chose, c'est le vide total.

Il n'y a aucune sortie à part la trappe au plafond qui est beaucoup trop haute pour que tu l'atteignes. Les murs, ou plutôt le mur circulaire qui t'entoure, est en vitre brune et opaque. Impossible de voir à l'extérieur. Tu examines le plancher qui est d'un vert bonbon.

— Quelle couleur affreuse ! t'exclames-tu. Mais cela sent bon. On dirait … snif … snif… de la menthe. Je me demande si…

La tentation est trop forte : très vite, tu passes ta langue sur le plancher. Ô merveille ! c'est lui qui dégage cette odeur et cette saveur.

— Incroyable ! Un plancher-gelée à la menthe. Et si j'en mangeais un peu. Peut-être qu'ainsi je trouverai une sortie. Oui, je vais creuser, non, je vais manger un tunnel pour m'évader de cet endroit.

Tu te mets aussitôt au travail, mais après une dizaine de bouchées, tu as un peu mal au cœur.

— Je ne peux quand même pas avaler tout cela, c'est trop. Mon estomac ne le supportera jamais. Ahhh ! Au secours !

Une énorme pelle ronde s'est plantée près de toi et soulève une partie du sol. Tu roules de l'autre côté de la pièce. La pelle revient et pique de nouveau par terre. Cette fois, tu as le temps de l'examiner. Elle ressemble bizarrement à une cuiller, à une énorme cuiller à dessert.

— Miam-miam ! fait une grosse voix venue de nulle part.

— On dirait... On dirait qu'un géant mange le plancher sur lequel je me trouve. C'est affreux ! il va me manger moi aussi...

Tu te mets à crier :

— Non, non, arrêtez ! Ne me mangez pas ! Je ne suis pas comestible ! S'il vous plaît, arrêtez !

La cuiller stoppe en plein vol, à un mètre au-dessus de ta tête. Ouf! un peu plus et elle t'écrasait.

— Tiens, mon dessert favori qui parle! dit le géant.

— Non, ce n'est pas le dessert qui parle, c'est moi.

— Une mouche, il y a une mouche dans mon bol! Va-t'en, sale bestiole, sors de là.

L'endroit où tu te tiens tremble de toutes parts, secoué par une force incroyable. N'ayant rien à quoi t'accrocher, tu bondis et rebondis sur la gelée. Tu en perds ton dé qui vole en tous sens. Tu tentes désespérément de le rattraper, malgré les fortes secousses que tu ressens. Quand enfin tu mets la main dessus, tu exécutes un dernier saut involontaire qui t'amène...

LANCE LE DÉ

Si tu as 1, recommence,
    ce n'est pas un bon numéro.

Si tu as 2, va à la case 12. p. 75
Si tu as 3, va à la case 13. p. 81
Si tu as 4, va à la case 14. p. 89
Si tu as 5, va à la case 15. p. 93
Si tu as 6, va à la case 16. p. 101

Case 11.
LA TRAPPE SECRETE

Tu te frappes le nez sur un mur. Heureusement, tu ne te fais aucun mal car il est mou. Mou comme un trampoline. Le plancher sur lequel tu te tiens debout, semble de la même matière.

L'endroit est bizarre, il n'y a ni fenêtres, ni portes. Tu es dans une grande salle vide. Presque vide. Un des murs est recouvert d'une bibliothèque. Il n'y a aucun autre meuble. Tu t'approches des livres en te dandinant sur le sol instable.

— Tiens, c'est différent ici, t'exclames-tu en posant le pied sur quelque chose de plus solide.

Tout près de la bibliothèque, tu marches sur un vrai plancher. Puisqu'il n'y a rien d'autre à faire, tu examines les bouquins sur les rayons. L'un d'eux porte le titre « La cloche du village ». Tu le prends et aussitôt une cloche se fait entendre.

Tu sursautes et cherches d'où provient ce son, mais tu ne vois rien. Il est tellement assourdissant que tu ne peux pas lire, alors tu remets le livre à sa place. Le bruit cesse.

— Ouf! C'était agaçant.

Un autre livre attire ton attention. Il s'appelle «Le camion rouge». Au moment où tu mets la main dessus, une sirène de pompier résonne dans la pièce.

— Aïe! Mes oreilles vont se décoller si ça continue.

Tu reposes le livre sur la tablette et le silence revient. Est-ce que par hasard ce serait les livres déplacés qui créeraient tout ce tintamarre? Mais alors quelle espèce de son pourrait bien donner celui intitulé «La tempête de neige»? Tu l'essaies, mais à ta grande surprise, tu n'entends rien de spécial. Non, ce sont des flocons de neige qui tombent du plafond. Brr! Tu as froid.

Un par un, tu piges d'autres livres pour voir les différentes réactions. Avec «Perdu dans le désert», il fait de plus en plus chaud et tu as soif. Pour «Nuit d'horreur», des frissons te passent dans le dos et des rires diaboliques tintent à tes oreilles.

De peur d'étouffer, tu n'oses pas toucher à «Vie de poisson». Tu prends le livre juste à côté et au même instant, le plancher s'ouvre sous tes pieds et tu glisses vers le bas. C'était «Piège souterrain».

Va à la case 10. p. 67

Case 12.
LES DINOSAURES

Le décor dans lequel tu te déplaces maintenant t'impressionne beaucoup. Il est à la fois beau et effrayant. Des montagnes rocheuses et abruptes, où pousse une herbe rare, sont entourées de grands arbres aux larges et longues feuilles.

Devant toi, s'étend un petit lac bordé de dunes de sable. Les plantes et le paysage que tu vois sont bien différents de ceux que tu connais.

— Quel drôle d'endroit! murmures-tu en examinant les alentours. Il ne semble pas y avoir rien d'intéressant. Je devrais peut-être lancer le dé de nouveau et partir d'ici?

Au même instant, tu entends un bruit étrange que tu n'arrives pas à identifier. Cela provient de l'autre côté de la colline. Ta curiosité l'emporte. Tu glisses le dé et le pion dans ta poche et cours voir ce qu'il y a là.

— Une vache géante qui mange de l'herbe! t'exclames-tu. Non, c'est...

C'est un dinosaure dont le corps est aussi gros qu'une maison. Son cou et sa queue sont très longs. Il se tient sur quatre pattes d'éléphant. Sa tête est si petite qu'il en a l'air ridicule.

— Un diplo... quelque chose, dis-tu en cherchant dans ta mémoire.

Tu cueilles quelques brins d'herbe et les lui tends en t'approchant.

— Petit, petit, petit, j'ai du bon miam-miam pour toi.

Effrayé, le gros animal s'enfuit lourdement.

— Pourquoi as-tu peur de moi? Je suis pourtant bien plus agréable à regarder que toi. Tu n'as pas de goût.

Un rugissement te laisse muet. Tu te retournes et aperçois un autre dinosaure marchant sur deux pattes, la gueule grande ouverte découvrant une rangée de dents pointues.

— Maman! un monstrosaure!

Tu te précipites derrière une roche et t'y caches de ton mieux. Il passe sans te voir. Heureusement! Il n'aurait fait qu'une bouchée de toi, à peine un hors-d'œuvre.

Tu t'éloignes de cet endroit et passes près d'un lac de boue. Un autre dinosaure y est enlisé. Il n'est pas aussi gros que ceux que tu as rencontrés, mais il est tout de même plus grand que toi. Le milieu de son dos est hérissé de grosses écailles très dures et le bout de sa queue est armé de pointes acérées.

— Que fais-tu là, mon petit porc-épic en armure? Tu es pris? Si tu ne parviens pas à sortir de cette vase, tu vas finir par mourir de faim.

Ayant pitié de lui, tu cherches quoi faire pour l'aider. Pas question de t'approcher, tu risquerais toi aussi de t'enfoncer dans la boue. Dans l'espoir de découvrir quelque chose pour le tirer de cette mauvaise posture, tu te diriges vers la forêt.

Tu y trouves des branches et des troncs d'arbres par terre. Ce sont probablement les gros dinosaures qui les ont arrachés en passant ici. Tu as là tout ce qu'il faut pour fabriquer une espèce de pont. Tu ramasses d'abord les branches.

— Regarde, Armurosaure, dis-tu au gros animal. Je vais te faire un beau tapis.

Tu entrecroises les branches sur la boue, puis tu roules les troncs d'arbres par-dessus. Tu peux maintenant marcher sans danger jusqu'à la bête.

— Allez, viens, grimpe sur le pont. Tu ne peux pas rester là.

Il te regarde, l'air piteux, et pousse une longue plainte. Il fait vraiment pitié. Tu lui fais de grands signes de la main, tu l'encourages d'une voix douce.

Hélas! il reste enfoncé dans la boue. Il semble résigné à se laisser mourir.

— Hé, réveille-toi, bouge un peu. Tu es sauvé. Ouais ! J'oubliais que ,l'intelligence n'était pas encore inventée à ton époque. Tout ce qui importait dans ce temps-là, c'était …. manger.

Tu cours vers la forêt et en reviens les bras chargés de feuilles fraîches. Tu les passes sous le nez du dinosaure. Surpris, il relève la tête, hume l'odeur des feuilles et essaie de les mordre. Tu recules doucement en les agitant. L'énorme bête reprend vie et fait un effort pour les attraper. Il se débat tellement qu'il finit par mettre une patte sale sur le pont. Tu recules plus vite : il va bientôt se libérer et tu n'as pas envie de te faire écraser.

Enfin, le voilà sorti de la vase. Il avance tranquillement jusqu'à la terre ferme. Là, il court en tous sens, il est tellement heureux d'être libre. Il te regarde et te lance un drôle de cri avant de disparaître entre les arbres.

Tu n'as donc plus rien à faire ici, alors tu prends ton dé pour aller vers une nouvelle aventure.

LANCE LE DÉ

Si tu as 1, va à la case 13. p. 81
Si tu as 2, va à la case 14. p. 89
Si tu as 3, va à la case 15. p. 93
Si tu as 4, va à la case 16. p. 101
Si tu as 5, va à la case 17. p. 107
Si tu as 6, va à la case 18. p. 115

Case 13.
LE LABYRINTHE

Tout se modifie autour de toi. Il n'y a ni murs, ni plafond. Tes pieds sont posés sur une immense plage de sable... sans mer.

— Un désert! Il n'y a rien ici. Rien sauf ça! t'écries-tu en apercevant une bâtisse bizarre qui se dresse un peu plus loin.

Tu t'approches de cette drôle de construction aux murs très hauts et sans toit. C'est alors que tu entends deux voix qui s'appellent.

— Youhou! viens de ce côté, crie l'une d'elles.

— Meuh! je ne peux pas passer, se plaint l'autre.

— Alors ne bouge pas, je vais faire un détour pour te rejoindre.

Mais que se passe-t-il là-dedans? Debout devant l'unique entrée, tu hésites un peu. Tu y entres ou non? En regardant le sol, tu distingues sur le sable des traces de pas, ou plutôt de pattes. Quatre sabots qui appartiennent peut-être à un cheval ou à une vache, et quatre pistes plus grosses.

Tu te décides enfin et avances de quelques pas. Tu ne peux aller plus loin, car il y a un mur. Tu tournes à gauche, encore quelques pas et un autre mur. Tu pivotes à droite et c'est la même chose.

— Qu'est-ce que c'est que cet endroit idiot? Il y a des murs partout. Je m'en vais, ce n'est pas amusant. C'est... c'est... un labyrinthe.

Des gémissements et des plaintes parviennent jusqu'à toi. Il est évident que deux personnes sont prisonnières à l'intérieur. Il te faut les aider. Mais comment?

— C'est facile, murmures-tu en regardant par terre. Je n'ai qu'à suivre les traces sur le sable et je sortirai en revenant sur mes pas. J'y vais.

Tu t'exécutes à l'instant. Aussi habile qu'un saint-bernard à la recherche de victimes d'une avalanche ou qu'un chien policier flairant la piste d'un malfaiteur, tu suis les empreintes en pivotant d'un côté ou de l'autre.

— Zut! elles se séparent. Je vais à gauche ou à droite?

Tic-tac-to,
C'est bien trop haut.
Ra-ta-pla,
C'est beaucoup trop bas.
Zip-zap-zo,
Ce n'est pas très beau.
Cas-ta-gna,
Mais c'est par là.

Tu prends la direction indiquée par ta comptine et emprunte le chemin des sabots. Après quelques détours, tu te trouves nez à nez avec un être incroyable. Il a la tête, les bras et le haut du corps d'un jeune garçon, les quatre pattes et le reste du corps d'un veau.

Vous vous regardez tous les deux sans parler. C'est lui qui le premier rompt le silence :

— Ouah! ce que tu es moche, te lance-t-il.

— Oh! c'est sûrement pas toi qui as inventé la politesse. Quand je pense que je venais ici pour t'aider. Débrouille-toi tout seul pour te libérer!

— Non, attends, implore-t-il. Je ne voulais pas t'insulter, mais je n'avais jamais vu quelqu'un comme toi.

— Et des modèles comme le tien, crois-tu que ça court les rues? Qu'es-tu? Un humain ou une vache?

— Ni l'un ni l'autre. Je suis Minotaure, le fils du roi Minos, et je suis perdu. Wouaah!

Ses pleurs et ses beuglements t'agacent. Tu lui cries d'arrêter :

— Relaxe! Je vais te faire sortir. Je sais comment.

— Ah! vraiment? Dis-moi vite.

— Tu n'as qu'à regarder tes pieds, je veux dire tes pattes.

— Qu'est-ce qu'elles ont mes pattes? Tu ne les aimes pas?

— Mais non, tes petits sabots sont mignons comme tout, et ils laissent des traces ... tu comprends?

— Ce n'est pas vrai, ils sont propres. Je les ai lavés ce matin.

— Oh! que tu es bête! Tes sabots ne sont pas sales, mais, dans le sable, on peut voir là où tu as marché.

— Et alors?

— Alors, on va jouer au Petit Poucet.

— Qui est-ce?

— Un petit bonhomme très intelligent et très amusant, suis-moi.

Te guidant sur ta piste toute fraîche, tu reviens en arrière avec le Minotaure qui te colle comme une queue de veau. Lorsque vous atteignez l'autre piste, vous la suivez.

Si Minotaure te semble un peu spécial, que dire de l'étrange bête qui apparaît dans un détour! Il a une tête de fille, un corps de chiot, des ailes d'aiglon, une queue de dragon et les pattes d'un lionceau. Il (ou elle) se tient allongé sur le sol à la manière d'un chat.

Minotaure lui saute au cou, l'embrasse et lui explique comment il est parvenu à le rejoindre. Puis il te le présente :

— Voici mon ami, Sphinx. Nous étions venus jouer dans le labyrinthe quand nous nous sommes égarés.

— Salut ! lui dis-tu en lui serrant la patte.

— Bonjour ! ronronne-t-il. Aimes-tu les devinettes ? J'en ai une bonne pour toi.

Cette demande te surprend. Tu ne dis rien et tu attends la suite.

— Qui marche le matin à quatre pattes, à deux pattes le midi et à trois pattes le soir ?

Tu pars à rire, puis voyant son air étonné, tu réponds :

— C'est facile, tout le monde la connaît cette devinette. Elle est tellement vieille.

— Je regrette, s'écrie-t-il insulté, mais elle n'est pas vieille. C'est moi qui l'ai inventée. Réponds, sinon je te mange tout cru.

— Ne te fâche pas. C'est l'homme. Bébé, il marche à quatre pattes ; adulte, sur ses deux pieds, et quand il est vieux, il s'appuie sur une canne, ce qui fait trois pattes.

— Oh! s'exclame Minotaure. C'est ça la bonne réponse? Depuis le temps que j'essaie de résoudre cette énigme et toi, ça ne t'a pris que quelques secondes. Fantastique!

Tu ris de cette remarque, mais Sphinx boude dans son coin. Pour le dérider, tu lui poses une devinette de ton invention.

— Qui suis-je? Je suis plus léger que l'air et très dur. Même si je suis énorme, je me sauve par un petit trou.

— Je sais, dit Sphinx d'un air hautain. L'eau, quand elle s'évapore, elle monte vers le ciel. Quand elle gèle, elle devient solide. Et elle peut s'écouler par la moindre fissure.

— Bravo! Tu connais les réponses à tous les problèmes.

— Il y a pourtant une chose que j'ignore. Que tiens-tu caché au creux de ta main?

— Ça? lui réponds-tu en l'ouvrant. C'est mon dé. Je m'en sers pour jouer.

— Comment? demandent en chœur les deux bêtes.

— Comme ceci...

Tu lances le dé en l'air et le rattrapes avant qu'il ne tombe sur le sol. Au même instant, tu disparais sous les yeux ébahis de Minotaure et Sphinx.

LANCE LE DÉ

Si tu as 1, va à la case 14.   p. 89
Si tu as 2, va à la case 15.   p. 93
Si tu as 3, va à la case 16.   p. 101
Si tu as 4, va à la case 17.   p. 107
Si tu as 5, va à la case 18.   p. 115
Si tu as 6, va à la case 19.   p. 119

Case 14.
LE VAISSEAU SPATIAL

Te voilà soudain dans une vaste pièce semblable à une salle d'attente d'un aéroport. Autour de toi, il y a beaucoup de gens vêtus de la même façon : combinaison grise et bleue et bottes à semelles magnétiques.

Ce sont des hommes et des femmes, des jeunes, des gens âgés, des enfants. Ils attendent. Une petite voix métallique te fait sursauter :

— Vous n'êtes pas réglementaire.

— Quoi ? Que voulez-vous dire ? demandes-tu à un robot doré en forme de boîte de conserve.

Deux petites lumières clignotent. Ce sont probablement ses yeux. Il te répond :

— Mettez votre combinaison. Ceci n'est pas une mascarade. La fusée n'attend par les retardataires.

— Je regrette, mais je ne sais pas où…

— Première porte à droite. Vous trouverez sûrement un costume à votre taille. Dépêchez-vous avant que la fusée ne décolle.

Il te tourne aussitôt le dos pour vérifier l'équipement des autres voyageurs. Sans perdre un instant, tu cours t'habiller. Par-dessus ton jean et ton chandail, tu enfiles le vêtement spatial, et dans la poche sur la manche droite, tu places ton dé et ton pion. Tu glisses tes souliers de course dans une paire de bottes cosmiques.

Tu reviens juste à temps dans la grande salle pour le signal d'embarquement. Tu suis les autres en te demandant la destination de ce voyage.

Tu aperçois la fusée. Elle est immense, ronde comme un disque avec un toit pointu. Elle est posée sur six pattes de métal. En dessous, tu vois une ouverture d'où descend un escalier mobile. À la queue leu leu, vous montez à bord. En haut, une hôtesse te remet une carte perforée sur laquelle est écrit :

REJOIGNEZ X-21 DANS LA SALLE BT-5.

Face à toi, sur le mur, le plan du vaisseau spatial est affiché. C'est simple, tu n'as qu'à suivre les indications pour retrouver ce X-21.

— Deuxième corridor à droite, puis à gauche, encore à gauche et quatrième porte à droite. Voilà, j'y suis. Zut, il n'y a pas de poignée. Je ne peux pas ouvrir. Euh … Sésame, ouvre-toi! Abracadabra, ôte-toi de là! Barbapapa, où est-ce que tu vas?

Rien ne se passe. Par dépit, tu tapes du pied par terre et la porte s'ouvre au même instant. Vite, tu entres avant qu'elle ne se referme. Dans la petite pièce, il n'y a qu'un siège de voyage, une table et un robot immobile, semblable à celui que tu as déjà vu.

Il a à peine un mètre de haut, pas de jambes, mais des roues, ses deux longs bras pendent inertes et ses deux petites lumières sont éteintes. Au milieu de son corps, il y a une fente, par où tu glisses ta carte perforée. Le robot prend vie. Ses yeux s'allument, ses antennes pivotent.

— Bonjour, je suis X-21, votre guide. Installez vous, nous partons dans 10 secondes.

Tu sautes sur ton siège et boucles ta ceinture pendant le compte à rebours.

10 – 9 – 8 ...
La tête te tourne.
6 – 5 – 4 ...
Tes yeux se ferment et tes oreilles bourdonnent.
2 – 1 – 0 ...
Tu t'évanouis.

Saute à la case 18. p 115

Case 15.
LA PRISON

Dans un nuage de poussière, tu apparais, debout sur un tas de paille. Une odeur de sueur et de détritus te prend à la gorge. C'est horrible, tu as de la difficulté à respirer.

— Au secours ! Donnez-moi de l'air, gémit quelqu'un.

Tout près de toi, allongé sur le dos, un vieil homme trop faible pour ouvrir les yeux, se plaint. Il fait pitié à voir. Que peux-tu faire pour l'aider ? Tu examines l'endroit où tu te trouves : une petite pièce aux murs, plafond et plancher en pierre, une seule porte de fer et une minuscule fenêtre obstruée par des barreaux.

Et pour tout décor : de la paille sur le sol, une cruche avec un peu d'eau et une assiette de bois contenant un morceau de pain sec et rongé.

— Une prison ! Je suis dans une sordide cellule de prisonnier.

Le vieillard gémit de nouveau. Tu lui offres de l'eau, mais il est si faible qu'il ne semble pas t'entendre. Tu tentes de le faire boire en lui soutenant la tête. Il réussit finalement à avaler quelques

gorgées et a enfin conscience d'une présence amie à ses côtés.

— Pauvre enfant! Te voilà, toi aussi, dans l'horrible cachot du Prince Noir. Tu ne sortiras jamais d'ici.

Ce sont là des paroles peu encourageantes. Il n'est pas question que tu passes toute ta vie dans cet endroit humide. Tu sais comment en sortir, grâce au dé et au pion que tu as prudemment placés dans ta poche. Pour cet homme, c'est une autre histoire. Impossible de l'amener avec toi.

Tu en as réellement pitié. Mais qu'a-t-il bien pu faire pour mériter un si triste sort? Tu le questionnes :

— Pourquoi êtes-vous enfermé? Avez-vous volé ou tué quelqu'un?

— Ni l'un, ni l'autre, mon jeune enfant. J'ai eu le malheur d'aimer la même femme que le Prince Noir. Il est très jaloux et il voulait à tout prix l'épouser. En me reléguant aux oubliettes, il se débarrassait de moi, son rival.

Tu le regardes et penses que cette histoire d'amour doit dater de très longtemps. Avec ses cheveux blancs et son visage ridé, de qui pourrait-il être le rival?

— Soixante ans déjà, que tout cela s'est produit, poursuit-il. Aujourd'hui, ma bien-aimée est probablement morte.

Il soupire et se tait. Le pauvre homme ne mérite pas de mourir dans ce trou à rat. On n'emprisonne pas quelqu'un parce qu'il aime la même personne qu'un autre. D'ailleurs, toute cette affaire doit être oubliée. Il faut que tu l'aides à se libérer.

Tu vas à la porte et tu la frappes à grands coups de pied. Malgré le vacarme que tu fais, personne ne répond à tes appels. Tu te diriges vers la fenêtre, mais elle est trop haute. Habile comme un singe, tu grimpes alors sur le mur en prenant appui sur les pierres inégales. Hélas! tout ce que tu aperçois, c'est la mer à perte de vue. Aucune aide possible de ce côté.

Tu sautes par terre et, en te retournant, tu vois une petite souris grise qui grignote le pain de ton ami. Tu la chasses vivement.

— Sale petite voleuse! Laisse ce morceau et repars d'où tu viens.

Tu tapes du pied pour l'effrayer et elle se sauve par un petit trou près de la porte.

— Il ne faut pas lui faire de mal, intervient l'homme. Elle est ma seule compagne dans ma solitude.

— Oh! pardon! je croyais qu'elle volait votre nourriture.

— Mais non, je la partage avec elle.

— Je vais essayer de vous la ramener.

Tu t'agenouilles devant le trou au bas du mur et l'appelles doucement. Tu ne la vois pas revenir, mais tu remarques quelque chose de mieux. Le joint entourant l'une des pierres ne semble pas étanche. Tu secoues cette pierre et elle bouge. Tu la pousses plus fort et elle finit par céder.

Cela fait une ouverture dans le mur, mais pas tout à fait assez grande pour que tu y passes. Tu tâtes les autres pierres. Elles ne sont pas tellement solides. Après quelques minutes d'efforts, la brèche est suffisamment large pour toi et le vieil homme.

Il t'observe sans rien dire, il est trop ému et trop heureux.

— Venez, lui dis-tu, voilà votre billet de sortie. Nous allons visiter le monde.

Tu l'aides à se faufiler hors de sa prison et tu t'y glisses derrière lui. Vous vous retrouvez au haut d'un large escalier. L'homme s'appuie sur ton épaule et ensemble, vous descendez les nombreuses marches menant à la liberté. En bas, une simple porte ferme la sortie.

Tu l'ouvres sur le soleil et l'air frais de l'extérieur. Quelle bonne senteur ! Sous vos yeux s'étend un vaste jardin où croissent de nombreuses espèces de fleurs qui dégagent un parfum doux et agréable. Des petits sentiers de sable le sillonnent en tous sens. En bordure de l'un d'eux, il y a un banc de bois occupé par une vieille femme aux cheveux gris. Devant elle, sur un chevalet, est posée une toile, où elle peint le paysage qui s'offre à sa vue.

Tu penses qu'il vaudrait peut-être mieux ne pas la déranger et partir avant qu'elle ne remarque votre présence. Trop tard... ton ami s'écrie, les bras grands ouverts :

— Hortense, mon amour, ma vie !

La dame se retourne, fort surprise, et s'exclame à son tour :

— Victor, mon amour, ma vie !

Ils s'approchent l'un vers l'autre et s'enlacent tendrement. Ils parlent en même temps, échangent confusément leurs souvenirs, en essayant de comprendre leurs fantastiques retrouvailles.

Toi tu n'existes plus pour eux. D'ailleurs, les explications qu'ils se donnent te semblent compliquées. Le Prince Noir a emprisonné l'homme, puis a épousé la femme, mais n'a jamais vécu avec elle, à cause de la guerre. Il est revenu, il est reparti aussi vite pour une autre guerre, il est mort, etc, etc, etc.

Tu te dis que toute cette histoire ne te concerne pas et qu'il serait préférable de les laisser seuls. Tu jettes alors un dernier regard aux amoureux enfin réunis, tu leur souhaites intérieurement une vie longue et heureuse... Puis, tu reprends ton dé et ton pion.

LANCE LE DÉ

Si tu as 1, va à la case 16. p. 101
Si tu as 2, va à la case 17. p. 107
Si tu as 3, va à la case 18. p. 115
Si tu as 4, va à la case 19. p. 119
Si tu as 5 ou 6, va à la case 20. p. 123

Case 16.
LA SORTIE
DE L'ASCENSEUR

Tu es dans un couloir, long et étroit, sur lequel donnent de nombreuses portes. Tu jettes un coup d'œil par-dessus ton épaule et aperçois par terre, au fond de l'ascenseur ouvert derrière toi, ton dé et ton pion. Tu t'élances pour les récupérer. Pas de chance, les portes se referment avant.

— Zut, le cadeau de mon oncle ! Je ne peux pas le laisser là.

Tu cherches le bouton extérieur qui actionne la porte… mais il n'y en a pas.

— Comment fait-on pour l'ouvrir ? t'écries-tu avec impatience.

Tu te retournes et te diriges d'un pas décidé vers les autres portes. Tu entres dans la première pièce à droite. Il y a là un homme qui travaille à un ordinateur. Peut-être pourra-t-il t'aider?

— Pardon, monsieur, je ne veux pas vous déranger mais pouvez-vous me dire comment fonctionne l'ascenseur? lui demandes-tu.

Ses gestes sont saccadés et rapides, il tourne brusquement ses yeux fixes en ta direction. Son regard et son allure te semblent bizarres, mais sa voix l'est encore plus. Elle est ... métallique.

— L'as-cen-seur ne fonc-tion-ne pas, il mon-te et des-cend, seu-le-ment.

Il se remet aussitôt à travailler. Tu ne pourras rien savoir de plus avec lui. Tu te diriges donc vers la deuxième porte et y trouves une femme installée, elle aussi, devant un ordinateur.

— Pardon, madame, je ne veux pas vous déranger, mais pouvez-vous me dire comment fonctionne l'ascenseur? demandes-tu de nouveau.

Ses manières ressemblent étrangement à celles de l'homme, et sa réponse aussi :

— L'as-cen-seur ne fonc-tion-ne pas, il mon-te et des-cend, seu-le-ment.

La bouche grande ouverte, tu la regardes reprendre son activité. Tu cours à la porte suivante et à l'autre, encore et encore. Partout tu découvres des hommes et des femmes semblables à des robots ou à des androïdes dont les doigts courent sans cesse sur le clavier de leur appareil.

C'est extraordinaire, mais ça ne t'indique toujours pas comment entrer dans l'ascenseur. Tu reviens auprès du premier robot et tu insistes :

— S'il vou plaît, voulez-vous m'ouvrir la porte de l'ascenseur?

— Non, per-son-ne ne veut ou-vrir la por-te de l'ascenseur.

— J'ai mal posé ma question. Avec les machines, il faut toujours être précis, si l'on veut être compris. Je recommence. Pouvez-vous m'ouvrir la porte de l'ascenseur?

— Non, per-son-ne ne peut ou-vrir la por-te de l'as-censeur.

— Elle doit quand même bien s'ouvrir de temps à autre cette espèce de porte à la gomme à mâcher écrasée par un rouleau compresseur, cries-tu en colère.

— Cet-te por-te-là, je ne sais pas. Mais cel-le de l'as-cen-seur s'ou-vre sou-vent, sou-vent.

Tu reprends courage et t'informes du moment où cela se produira.

— L'heu-re c'est l'heu-re. A-vant l'heu-re, ce n'est pas en-cor-re l'heu-re. A-près l'heu-re, ce n'est plus l'heu-re.

À quoi cela t'avance-t-il de savoir ça? À rien. Convaincu de ne pouvoir tirer autre chose d'utile de cette boîte de conserve à visage humain, tu retournes à l'ascenseur et t'assois près du mur.

Les minutes s'écoulent longues et ennuyeuses. Puis, tu entends un doux sifflement. L'instant d'après, leur ouvrage terminé, tous les robots sont debout devant l'ascenseur, prêts à redescendre. Attention, il va te falloir agir vite pour récupérer tes objets.

La porte s'ouvre soudain comme par magie et tous se précipitent à l'intérieur de la cabine. Tu bondis vers le mur du fond, tu attrapes au vol le dé et le pion et cours de nouveau vers la sortie en bousculant tout sur ton passage. C'est presque réussi, mais ta main heurte l'épaule d'acier d'un androïde. Le choc te fait lâcher le dé qui roule par terre. Tu le reprends de l'autre main, mais il est trop tard.

LANCE LE DÉ

Si tu as 1, va à la case 17. p. 107
Si tu as 2, va à la case 18. p. 115
Si tu as 3, va à la case 19. p. 119
Si tu as 4, 5 ou 6, va à la case 20. p. 123

Case 17.
LES INDIENS

En l'espace d'un instant, tu te retrouves dans un petit pré entouré d'arbres. Non loin de toi, une jeune fille, vêtue d'une robe longue, cueille des fraises. En te voyant, elle sursaute et dit :

— D'où viens-tu ? Je ne te connais pas.

Tu te présentes et bredouilles une vague explication :

— Je viens de très, très loin. J'ai perdu mon chemin...

— C'est terrible, tu peux rester chez moi, nous t'aiderons. Je m'appelle Madelon. As-tu aperçu des Indiens sur ta route ?

— Non, j'ignorais qu'il y en avait dans les environs.

— Il y en a plusieurs. Méfie-toi, ils sont dangereux.

Dangereux! Tu n'en crois rien. Après tout, ce sont des gens comme tout le monde. Pourquoi seraient-ils méchants?

— Tu n'as pas l'air de bien comprendre, t'explique-t-elle. Les Indiens veulent nous chasser d'ici, ils prétendent que cette terre leur appartient.

— Est-ce vrai?

La jeune fille soupire avant d'ajouter :

— Laisse tomber. Plus tard, je te donnerai un cours sur les relations entre les Iroquois et les Français. Maintenant, il faut rentrer au fort pour le dîner.

Tu l'accompagnes jusqu'à un grand fort bâti de troncs d'arbres. Au moment où vous allez y pénétrer, des hurlements se font entendre derrière vous.

— Les Indiens! crie Madelon. Vite, mettons-nous à l'abri à l'intérieur.

Sans répondre, tu la suis en courant. Vos assaillants s'approchent de plus en plus en vociférant et se heurtent à l'entrée barricadée du fort.

Ouf! Quelques secondes de plus et ils vous attrapaient. Madelon, insensible à la peur, donne des ordres aux rares habitants de la forteresse. En tout, vous n'êtes que six : un vieil homme, un enfant de cinq ans, deux femmes, Madelon et toi. Tu jettes un coup d'œil à l'extérieur, par un trou de la palissade. Les attaquants sont au moins une cinquantaine. Vous n'avez aucune chance.

Madelon t'apporte un vieux mousquet et te dit de t'installer sur le chemin de ronde en haut du rempart. Et elle ajoute :

— Surtout vise bien, nous n'avons pas beaucoup de munitions.

Elle te quitte avant que tu puisses répondre. Le vieil homme t'explique en clignant de l'œil :

— Ce n'est pas la première fois que Madelon sauve le fort. La dernière fois, elle a tenu le coup pendant trois jours avant que son père arrive avec du renfort. Cette fois-ci, ça risque de durer quatre ou cinq jours.

Quatre ou cinq jours à se battre ! Ca n'a pas de bon sens. Tu t'installes à ton poste et tu essaies d'imaginer le massacre qui se prépare. Tu ne peux tout de même pas tuer des Indiens. Ce sont des êtres humains comme toi. Si tu essayais de les raisonner ? Avec de grands gestes des bras, tu tentes d'attirer leur attention. C'est réussi, ils te regardent, mais... non... au secours !...

Tu te baisses juste à temps, une dizaine de flèches sifflent au-dessus de ta tête.

— Ils sont fous, ces Indiens ! Je ne leur ai jamais rien fait de mal, moi. Oh ! si je vous attrape, je vous arracherai toutes vos plumes et vous subirez le supplice de la chatouille jusqu'à ce que mort s'ensuive. Espèce de déplumeurs d'oiseaux.

— Je t'avais bien dit qu'ils étaient dangereux, te lance Madelon. Méfie-toi et sers-toi de ton arme au lieu de crier.

Tirer sur les Indiens! C'est hors de question, jamais tu ne pourras le faire. Après tout, quand on milite pour la paix dans le monde et que son slogan préféré est «Donnons-nous la main», on ne peut pas s'abaisser à commettre un acte aussi cruel.

Mais tu ne peux pas non plus te laisser massacrer avec le sourire. (Merci, monsieur le Sauvage, un autre petit coup de tomahawk du côté gauche de ma tête, ça me fait tellement de bien.)

Tout cela n'a aucun sens, il faut arrêter la bataille. Tu t'approches de Madelon et lui propose d'aller parlementer avec les Iroquois.

— Je crois que je réussirai. J'ai une idée lumineuse. Je ne te dis pas laquelle, c'est un secret. Trouve-moi seulement un petit drapeau blanc.

Elle n'a pas grand espoir en ton plan, mais elle s'exécute tout de même. Avec un chiffon blanc fixé à un bout de bois, tu fais quelques pas à l'extérieur du fort.

Les Indiens sont surpris mais, intrigués par ta bravoure, ils ne te tirent pas dessus. Tu vas à leur rencontre en te donnant l'air le plus solennel possible. Tu leur dis :

— Je suis aussi habile qu'un grand sorcier, et si vous soulevez ma colère, vous périrez tous.

Ils te regardent sans comprendre. Bien sûr, aucun d'eux ne parle le français. Tu recommences ton discours à l'aide de gestes.

— Moi, Face Pâle faire PFFOUIT grand feu. O.K. ?

Ils discutent entre eux dans une langue qui t'est inconnue. Tu te hâtes de sortir de tes poches un papier mouchoir et ton pion en forme de loupe. Tu poses le petit carré de papier par terre et tu tiens le morceau de verre au-dessus, de façon à capter les rayons du soleil. Le mouchoir chauffe, noircit, puis s'enflamme.

Les indiens sont ébahis par ce petit tour de magie. Ils lancent des cris de joie, puis l'un d'entre eux fait des signes aux autres pour leur demander silence. Il s'approche de ton minuscule feu et jette dessus une poudre jaune qui sent le soufre. Aussitôt, un petit nuage de fumée apparaît.

Tous ensemble, les Iroquois dansent autour de toi, en riant et chantant. C'est là la preuve évidente qu'ils te considèrent avec amitié. Tu as réussi à leur démontrer tes pouvoirs magiques.

Celui qui semble être leur chef t'offre une parure de plume en gage de paix. Tu dois lui donner quelque chose en échange. Tu fouilles dans tes poches et y trouves un peigne mauve et une dizaine d'élastiques de toutes les couleurs. Tes nouveaux amis se partagent avec joie ces petits objets.

Tu regardes Madelon qui sourit et applaudit du haut de la palissade. Tu exécutes ton plus beau salut, mais au même instant, tu échappes ton dé. En le reprenant dans tes mains, tout change autour de toi.

LANCE LE DÉ

Si tu as 1, va à la case 18. p. 115
Si tu as 2, va à la case 19. p. 119
Si tu as 3, 4, 5 ou 6, va à la case 20. p. 123

Case 18.
ATTERRISSAGE FORCÉ

Tu te réveilles en sursaut. Un choc terrible te secoue brutalement en tous sens. Par chance, une ceinture te retient à une chaise. Après quelques minutes de bruit et de tremblement, le calme revient.

— Où suis-je? Que se passe-t-il? Pourquoi ce costume étrange? t'exclames-tu en te regardant.

Te voilà sur un drôle de siège, en combinaison spatiale grise et bleue. Un petit robot, genre poubelle roulante à antennes et lumières clignotantes, te dit :

— Pas de panique. Tout va bien. Atterrissage précipité mais réussi. Placez votre casque sur votre tête avant de sortir.

— Mais qui es-tu? Je ne comprends pas ce qui arrive.

— Intéressant. Cas typique d'amnésie, explique-t-il.

— D'amné... quoi?

— AMNÉSIE : perte totale ou partielle de la mémoire. MÉMOIRE : faculté du cerveau qui oublie parfois ce qu'il doit retenir.

Tu n'en reviens pas : cette espèce de boîte de conserve parlante doit être folle, elle dit n'importe quoi. Tu t'approches de la seule fenêtre de l'endroit et échappes un grand cri devant la vision qui s'offre à toi.

Un amoncellement de vaisseaux spatiaux écrasés les uns sur les autres encombre la place. Pas de maisons, ni d'arbres, ni rien d'autre, seulement des tas de ferraille rouillée et tordue.

— Qu'est-ce que c'est? demandes-tu à ton unique compagnon.

— Dépotoir intergalactique.

— Un quoi?

— DÉPOTOIR : lieu où l'on emmagasine les énergies mortes ou déficientes quand on ne sait plus quoi en faire.

— Voilà qui est fort excitant et super emballant. Allez, on s'en va, ordonnes-tu.

— Impossible. Nous sommes rendus à destination, t'objecte-t-il.

— Impossible ne figure pas dans mon dictionnaire. J'ai dit, nous partons.

— Données insuffisantes pour accomplir la manœuvre.

— Ce qui veut dire? demandes-tu presque en colère.

— Vaisseau spatial endommagé. Unité de réparation manquante. Poste de départ non opératoire.

Non, tu ne veux pas rester deux minutes de plus dans cet endroit inquiétant. Coûte que coûte, il te faut partir. D'un geste vif de la main, tu tires sur ton costume pour l'enlever, mais tu ne réussis qu'à déchirer la poche de l'épaule.

Surprise ! ton dé et ton pion étaient à l'intérieur. Ils roulent par terre sous ton siège. Le nez dans la poussière, et le derrière en l'air, tu tentes de les récupérer. Dès que tes doigts les frôlent, tu glisses dans le néant…

LANCE LE DÉ

Si tu as 1, va à la case 19. p. 119
Si tu as 2, 3, 4, 5 ou 6, va à la case 20. p. 123

Case 19.
LA GLISSADE D'EAU

Au milieu d'un vol plané involontaire, tu agrippes fermement le premier objet qui passe à ta portée : c'est un poteau de bois en position verticale. De là, tu te laisses glisser lentement vers une plateforme. Ouf! tes pieds touchent enfin quelque chose de solide.

— Wow! t'exclames-tu, des glissades d'eau.

Tu es en haut de la plus grande et la plus vertigineuse d'entre elles. Celle que l'on surnomme la « Chute des Braves ». Un employé, en uniforme rose et vert, s'affaire à installer à tour de rôle des plongeurs imaginaires.

— Assoyez-vous le plus en avant possible, croisez les jambes, placez vos mains sur vos épaules. Prêt? 1 – 2 – 3 et hop! dans le vide.

À ta grande surprise, tu entends un cri où se confondent la peur et le plaisir. Comme s'il y avait vraiment quelqu'un qui descendait. Tu t'approches du bord de la plate-forme et tu vois l'eau qui éclabousse.

— Hé! vous! te lance l'employé, placez-vous à la fin de la file, comme tout le monde. Ici, on se met en rang.

En rang? mais il n'y a personne! Il n'est pas normal, ce bonhomme. Il vaudrait peut-être mieux que tu quittes cet endroit sans te faire remarquer. Tu cherches des yeux l'escalier. Il n'est pas à droite, pas à gauche, ni derrière. Tu regardes de nouveau, mais tu ne le trouves toujours pas.

— Dites-moi, monsieur, demandes-tu à l'homme, par où descend-on?

— Par ici, dit-il en t'indiquant la chute d'eau.

— Non, ce n'est pas ce que je veux dire, je cherche l'escalier.

— L'escalier?

— Un escalier, avec des marches pour descendre, lui expliques-tu par des gestes.

— Des marches? Connais pas. La seule descente, c'est celle-ci.

Il te montre encore la glissade, puis retourne à son travail fictif. Tu ne peux tout de même pas

descendre par là, tu n'as pas de maillot de bain, l'eau est trop froide et … et … c'est trop haut. Il faut bien l'avouer, tu as un peu peur.

Prenant ton courage à deux mains, tu enjambes le grillage entourant la petite terrasse dans l'espoir de te glisser jusqu'en bas en utilisant les piliers de soutien. Une alarme retentit et te fige sur place dans une position peu confortable : à califourchon sur la palissade.

L'employé se précipite sur toi, te tire vers lui et te gronde.

— Il est strictement défendu de se sauver. Tout contrevenant à cette loi est passible de la punition dite « Tête renversée ».

— Quoi ? Qu'est-ce que c'est que cette loi et de quelle punition parlez-vous ?

— Ha !, Ha ! on fait la personne qui ne comprend rien ! Qu'à cela ne tienne, vous n'échapperez pas au châtiment. Les rebelles n'ont que ce qu'ils méritent.

— Vous êtes fou, lâchez-moi ! Lâchez-moi ! Au secours !

Mais il ne t'écoute pas et te tient fermement par le fond de ton pantalon et le col de ton chandail. Puis, d'un mouvement brusque, il te jette à plat ventre sur la glissade et te pousse tête première vers le bas.

Tu ne cries pas, car pour ne pas avaler de l'eau, tu gardes la bouche bien fermée. Les yeux aussi, mieux vaut ne pas voir la catastrophe qui t'arrive. Les bras repliés sur ta tête, l'estomac à l'envers, tu attends la fin.

Glisse à la case 8. p. 55

Case 20.
LA PORTE

Tu rebondis mollement sur un épais tapis d'ouate blanche. Tu t'y enfonces jusqu'aux genoux en te relevant. Autour de toi, tout est d'un bleu lumineux, comme s'il n'y avait aucun mur, mais plutôt un espace indéfini.

— Il y a quelqu'un? appelles-tu.

Ta voix semble s'étouffer et n'avoir aucun écho. Tu répètes ta demande, mais personne ne répond. Tu avances donc un peu au hasard, ne sachant trop où tu vas. Mais tu ne trouves rien.

— Ce n'est pas tellement gai ici, te dis-tu. Je devrais partir.

Tu cherches ton dé et ton pion dans tes poches. Ils n'y sont pas! Tu fouilles à nouveau, toujours rien.

— Je les ai perdus. Je ne peux plus avancer, gémis-tu.

Un rire étrange éclate au-dessus de ta tête :

— Hi ! hi ! hi ! Avec deux pieds, on peut encore marcher !

Tu lèves les yeux, mais ne vois personne. Tu n'as pourtant pas rêvé, quelqu'un a parlé.

— Je veux bien marcher, mais pour aller où ?

— Hi ! hi ! hi ! Pour te rendre au bout ! te répond la voix sous tes pieds.

Tu te penches vivement, mais sous tes pieds il n'y a qu'un nuage opaque.

— Arrête de te cacher et montre-toi, lui ordonnes-tu.

— Hi ! hi ! hi ! Impossible que tes yeux me voient !

La voix semble maintenant devant toi, mais tu n'aperçois aucun être humain. Est-il invisible ? Tu tends les bras et tentes de l'attraper mais tes mains ne sentent que du vent.

— Hi ! hi ! hi ! Tu me chatouilles, crie-t-elle.

— Qui es-tu ? Je ne peux te voir ni te toucher. Je peux seulement t'entendre.

— Je suis un courant d'air. Je me promène partout et je sais tout, car je vois tout et j'entends tout.

— Si tu connais vraiment tant de choses, peux-tu me dire par où sortir d'ici ?

— Par la porte, bien sûr !

— La porte ? Mais où est-elle ? Je ne la vois pas.

— Retourne-toi et marche, tu la trouveras.

Tu suis ce conseil et avances pendant quelques minutes. La brume qui t'entoure se dissipe peu à peu à chacun de tes pas. Tu entrevois enfin trois grandes ombres dans le brouillard. Tu cours vers elles et constates qu'il n'y a pas une, mais trois portes.

— Laquelle dois-je ouvrir ?

— Hi ! hi ! hi ! À toi de le découvrir !

— Pourquoi ne me le dis-tu pas, toi qui sais tout ?

Pas de réponse. Il n'y a que toi qui puisses choisir celle qui te conduira loin de cet endroit bizarre. Tu t'approches de la porte à gauche et colles ton oreille dessus. Des craquements, des bruits de chaînes que l'on secoue, des soupirs et des lamentations te parviennent.

— Brrr ! Ca n'a pas l'air très rassurant, dis-tu à mi-voix. Je devrais peut-être en essayer une autre.

Tu te diriges vers celle de droite, tu écoutes mais n'entends rien. Tu poses ton œil sur le trou de la serrure. D'abord, tu ne vois rien car il y fait très sombre. Puis, peu à peu, tu distingues des formes blanches se promenant lentement dans tous les sens.

Tu ne tiens pas du tout à savoir ce qui se passe derrière cette porte. La troisième ne peut être pire, penses-tu au fond de toi-même.

Tu y appuies ton oreille, pas un son, Et il n'y a pas de serrure pour voir de l'autre côté. Pourtant il y a quelque chose qui t'attire. C'est ... c'est une odeur. Tu l'as déjà sentie auparavant, mais où ?

Tu humes de nouveau pour imprégner ta mémoire de cet étrange souvenir. Cette odeur n'a pourtant rien de particulier ; elle est très douce. Tu fermes les yeux et ressens un immense bien-être, mais tu es incapable de dire ce que c'est.

Ta décision est prise. Tu tournes la poignée et passe d'un seul mouvement par la porte du milieu. La lumière t'aveugle quelques secondes, puis quand tu peux enfin ouvrir les yeux, tu aperçois... ta chambre.

Derrière toi, il y a ta garde-robe, tu y jettes un regard. Tout y est normal, tes jouets sont empilés sur les étagères et tes vêtements bien accrochés. Pourtant, quelques secondes avant, il y avait un nuage...

Tu t'approches de ton lit et y vois le cadeau de ton oncle avec le dé et le pion. Aucun doute, il y a de la magie là-dessous. Avec précaution, tu ranges le jeu dans sa boîte, puis tu te couches. Le nez enfoui dans tes couvertures, tu respires cette odeur douce, chaude et accueillante de tes draps propres.

Tu comprends que c'est cette senteur familière qui t'a fait choisir la bonne porte.

L'auteure

Susanne Julien raconte des histoires depuis longtemps. Pour son roman, *Les mémoires d'une sorcière*, publié en 1987, elle se mérite le prix Raymond Beauchemin de l'ACELF. En 1988, c'est le prix Cécile Rouleau de l'ACELF qui lui est attribué pour son roman pour adolescents *Enfants de la rébellion*, publié aux édition Pierre Tisseyre. Dans la collection «Libellule», elle a publié également *Les sandales d'Ali Boulouf* et *Moulik et le voilier des sables*.

L'illustratrice

Hélène Desputeaux a illustré des manuels scolaires, des revues enfantines, des romans pour les jeunes. En 1983, ses petits personnages espiègles prennent le chemin de l'Italie où ils participent à l'exposition des illustrateurs de la Foire internationale du Livre pour Enfants. Depuis ce jour, Hélène ne cesse de dessiner pour des éditeurs du Danemark, du Japon et de l'Italie. En plus, elle enseigne les arts plastiques au primaire et crée des scénographies et des marionnettes pour des troupes de théâtre.